El niño y la Muerte

El niño y la Muerte
Primera edición, 2015

Edición: Margarita de Orellana
Coordinación editorial: Gabriela Olmos
Corrección editorial: María Luisa Cárdenas, Laura Angélica de la Torre
Diseño: Leonardo Vázquez
Formación: Ana Paola Sanabria López

D. R. © Del texto y las ilustraciones: Honorio Robledo
        y Alfredo Delgado, 2015

D. R. © Artes de México y del Mundo, S.A. de C.V., 2015
        Córdoba 69, Col. Roma,
        C.P. 06700, México, D.F.

ISBN: 978-607-461-179-3

Impreso en México

El niño y la Muerte

Honorio Robledo y Alfredo Delgado

Libros del Alba

Cuando Alfredo cumplió ocho años recibió sólo un regalo: el encargo de ordeñar las tres vacas que tenía su familia. Desde entonces se levantaba diariamente a las cinco de la mañana, pues a las seis pasaba el camión que recolectaba la leche en las rancherías.

Así transcurría su vida entre las vacas y la escuela hasta aquella tarde en que llegaron unos payasos al parquecito del pueblo. Un evento tan especial sucedía cada dos o tres años, así que Alfredo permaneció en el parque hasta que el espectáculo terminó. Entonces se percató de algo terrible: ya había oscurecido. Horrorizado, pensó que debía caminar hasta el rancho para poder levantarse a ordeñar. No temía a la distancia ni a la oscuridad, sino a las historias que se contaban acerca del río.

Resulta que, en una de sus crecidas, el río Súchil había arrasado con el puente. Muy pronto, la gente se acostumbró a cruzar por el vado. Pero un día, un camión que bajaba de la sierra con su cargamento de madera se volcó justo ahí. Murieron una maestra y un niño. Después de ese desdichado accidente se comenzó a rumorar que los fantasmas de las víctimas se aparecían en el río.

Aquella noche, Alfredo caminaba nervioso de un lugar a otro del parque con la esperanza de encontrar entre la concurrencia a alguien de su ranchería que lo acompañara, o cuando menos a algún vecino con quien recorrer algunos kilómetros. Pero no había conocidos.

Cuando el sitio se vació, comenzó a caminar completamente solo. Tuvo la suerte de que se abrieran las nubes y apareció una rebanadita de luna menguante para iluminar su camino.

Pronto dejó atrás las últimas casas del pueblo, y los ladridos de los perros se escuchaban cada vez más lejos. Alfredo caminaba más deprisa, pero aún así no podía evitar que sus piernas le temblaran.

Así llego a la colina del siniestro río y, al doblar el recodo, se quedó paralizado: ¡La Muerte lo estaba esperando en el bordo! ¡Era alta y delgada, y estaba vestida de blanco! Con su brazo llamaba a Alfredo: "¡Ven, ven!" El niño, sin pensarlo un instante, echo a correr despavorido rumbo al pueblo. Llegó con el corazón retumbándole en el pecho.

Corría y corría con una sola cosa en la mente:
con Muerte o sin Muerte, debía cruzar el río
para ordeñar las vacas a la siguiente mañana.
De ello dependía la comida de toda su familia.
¡Cuál sería la reacción de su papá cuando
se enterara de que, nomás por miedo, no
había llegado al rancho a cumplir con sus
obligaciones!

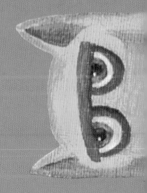

Se detuvo a medio camino para pensar: la única posibilidad de cruzar al río por otro punto estaba a tres horas monte arriba, en una región boscosa poblada de inmisericordes changuanes, voraces chilobos, y otras criaturas más sanguinarias y espantosas, a cuyo lado un simple fantasma era como un algodón de azúcar. ¡Ni un loco se atrevería a meterse en plena noche por aquellos peñascales!

Entonces recordó uno de los muchos consejos de su abuelo: "Mira hijo, cuando la Muerte ande buscándote, la única manera de despistarla es ¡quitándote la ropa! Ella reconoce a sus víctimas por sus vestidos, así que si estás desnudo, pasará de largo sin tocarte".

Sudando frío, Alfredo se encaminó nuevamente al río.

19

Antes de llegar a la curva se desnudó y se acomodó la ropa en la cabeza. Pero la Muerte lo seguía llamando. Se armó de valor y entrecerró los ojos para cruzar. Y llegó al otro lado. Se encorvaba lo más posible, pues escuchaba claramente el roce del vestido de la Muerte.

Ya en el bordo, el sonido se volvía cada vez más intenso. Alfredo temblaba de miedo. Pero se dejó vencer por la curiosidad y volvió la cabeza para mirar a la Gran Señora. Al verla casi se va de espaldas: ¡la Muerte no era más que un plástico enorme que se había atorado entre las breñas de la orilla! El brazo que lo llamaba era uno de los jirones que ondeaba al viento.

¡Todo había sido un espejismo! Con el cabello aún erizado por el terror, Alfredo suspiró.

Parecía comenzar su buena suerte: a lo lejos parpadearon las luces de un vehículo que se dirigía al rancho. Sin pensarlo dos veces, Alfredo hizo señales para que lo llevaran con ellos.

Pero en lugar de encontrar a un amigo, escuchó un alarido. La camioneta dio vuelta en redondo y se alejó a toda velocidad rumbo al pueblo, dejando las defensas, salpicaderas y molduras entre los baches. ¡El chofer de la camioneta, al verlo desnudo, lo había confundido con el fantasma del niño que había muerto en el río!

Se vistió resignado y, riendo, llegó hasta el rancho.

Al día siguiente todos en el pueblo comentaban que don Palemón, el carnicero más acaudalado de la comarca, estaba enfermo de bilis. Y con muchísima razón: ¡La noche anterior había creído ver al fantasma del niño que estaba desnudo en el río!

Alfredo nunca habló de lo sucedido, pero tampoco volvió a creer en historias de miedo. Conservó este secreto por muchos años. Ésta es la primera vez que se cuenta la verdadera historia del niño y la Muerte.

El niño y la Muerte

Para su formación se utilizó
la tipografía Minion Pro, diseñada por
Robert Slimbach en 1990.

Se terminó de imprimir y encuadernar en el mes
de junio de 2015 en los talleres de La Buena Estrella
Ediciones, S.A. de C.V., Trigo 48, Col. Granjas
Esmeralda, C.P. 09810. Del. Iztapalapa, México, D.F.